Gu
Freddie & Nell
Le Gaol

A' chiad fhoillseachadh sa Bheurla ann am Breatainn le Andersen Press Earranta
20 Vauxhall Bridge Road, Lunnainn SW1V 2SA
www.andersenpress.co.uk

A' chiad fhoillseachadh sa Ghàidhlig 2013
Acair Earranta, 7 Sràid Sheumais, Steòrnabhagh, Eilean Leòdhais HS1 2QN

info@acairbooks.com
www.acairbooks.com

An tionndadh Gàidhlig Tormod Caimbeul
An dealbhachadh sa Ghàidhlig Mairead Anna NicLeòid

Tha Acair a' faighinn taic bho Bhòrd na Gàidhlig.

Fhuair Urras Leabhraichean na h-Alba taic airgid bho Bhòrd na Gàidhlig
le foillseachadh nan leabhraichean Gàidhlig *Bookbug*.

Gheibhear clàr catalog CIP airson an leabhair seo ann an Leabharlann Bhreatainn.

Clò-bhuailte ann an Singapore le Tien Wah Press

LAGE/ISBN 978-0-86152-515-7

Tha an leabhar seo le:

_____ _ _ _ _ _ _ _ _ _ _ _ _

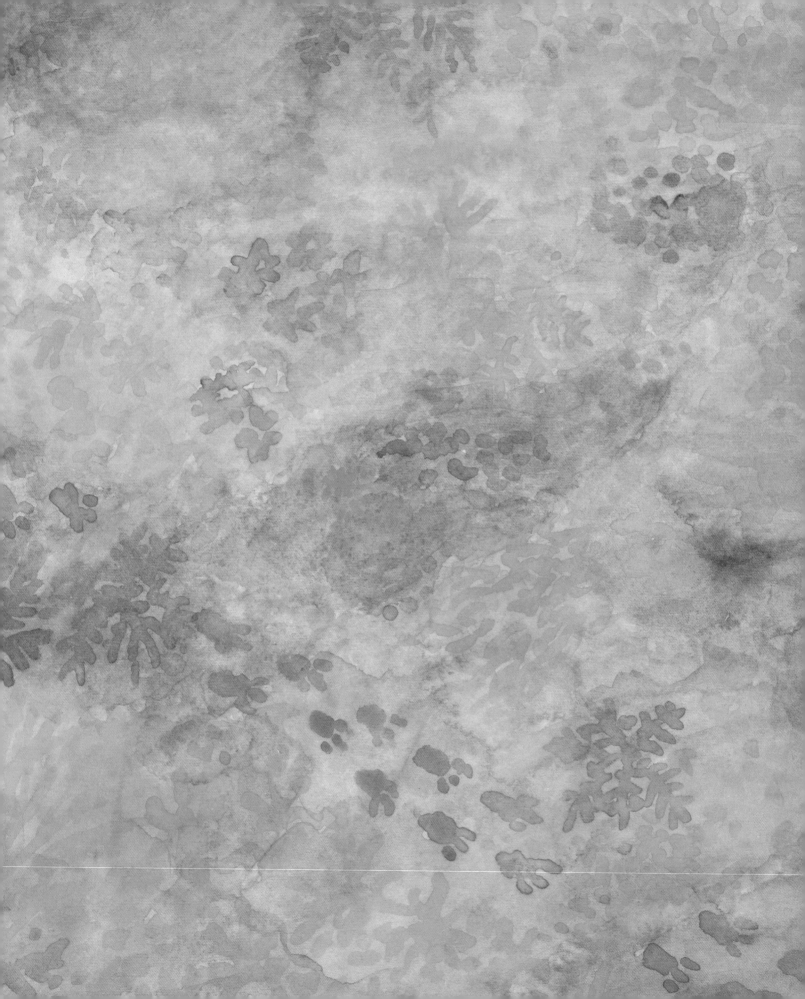

AN LATHA A DH'ITH IAD LOUIS

John Fardell

A' Ghàidhlig le Tormod Caimbeul

ACAIR

Aon latha bha Louis agus a phiuthar mhòr Sarah a-muigh anns a' choille...

...'s mo chreach...

...nach do dh'ith Gulpar Louis bochd.

Cha deach Sarah às a rian no às a ciall. Bha fios aice gun deach Louis a shlugadh sìos slàn. 'S nam biodh i luath gu leòr gum faigheadh i a-mach air ais e.

Thog i ruideigin às an dìg a bhiodh feumail...

...'s rinn i às na deann às dèidh a' Ghulpair.

Cha mhòr nach do rug i air, ach gu mì-shealbhach...

...rug an Gràpaire air a' Ghulpar.

Lean Sarah an Gràpaire gus na ràinig iad an nead aige.

GLUG-LUG!

'S cha mhòr nach do rug i air
ach, gu tuaireapach...

...nach d' fhuair am Plubaire e na chraos.

GLAMH!

Chaidh Sarah – splois! – às dèidh a' Phlubaire...

...'s bha i gus breith air...

...ach, dùbh ghràin agus dùnaidh...

...nach do dh'ith an Glamaiseir Sligeanach e.

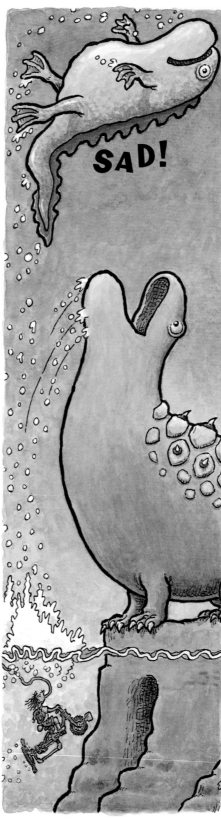

Agus 'eil fhios agad gun theab i breith air a' Ghlamaiseir...

...ach, an creideadh tu...

...chaidh esan ithe le Balg-buidhe nan tosg biorach.

GLOCHD!

Mach le Sarah às dèidh Balg-buidhe nan tosg...

...agus, taing do Shealbh, ràinig iad an uamh aige gun uabhas san t-slighe a dh'fhaodadh ithe.

Dh'fhuirich i gus na chaidil e...

...agus an uair sin, ò cho socair,
suas leatha dhan chraos
mhòr aige...

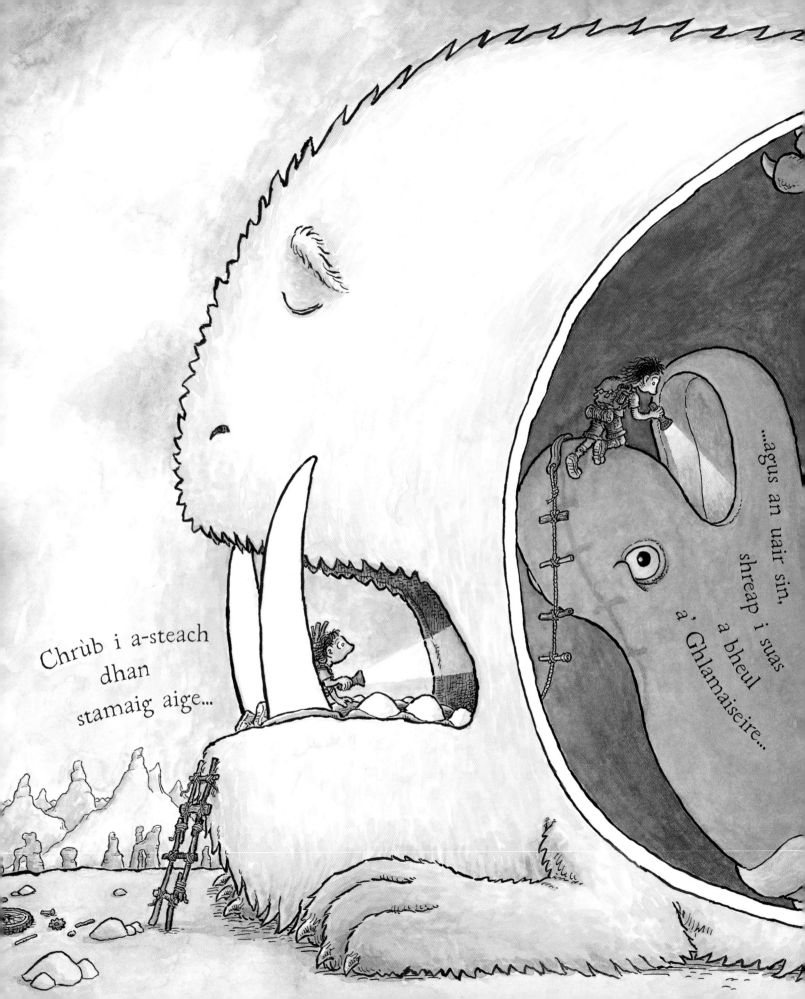

Chrùb i a-steach dhan stamaig aige...

...agus an uair sin, shreap i suas a bheul a' Ghlamaiseire...

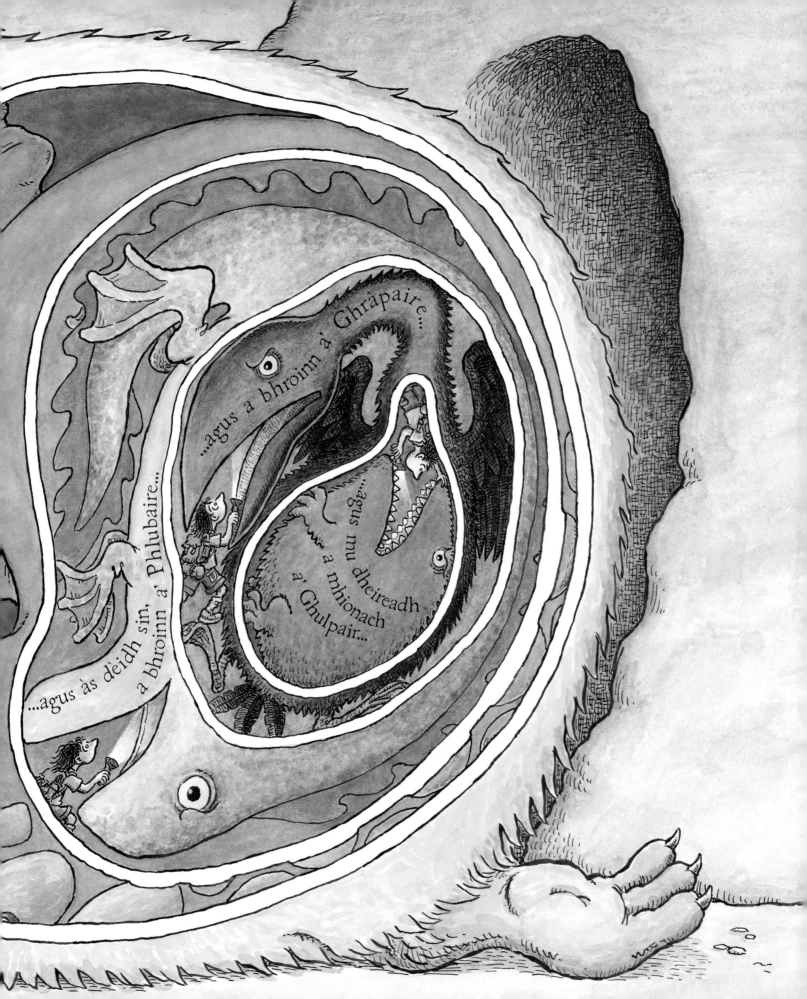

...far na lorg i Louis.

"Sarah!" arsa Louis. "Bha fios a'm gun tigeadh tu. Ach ciamar a gheibh sinn a-mach à seo?"

"Seall," arsa Sarah. "Seo an Losgann Aileagach. Thog mi às an dìg e mus deach mi às dèidh a' Ghulpair. Fuirich gus am faic thu seo."

Thòisich an Losgann Aileagach a' boingeil timcheall stamag a' Ghulpair...

...thàinig tachais
's thòisich an Gulpar a' critheadaich.

Thug sin crathadaich
air a' Ghràpaire,
tachais is critheadaich
air a' Phlubaire,
buiceil
air a' Ghlamaiseir Shligeanach,
agus gliogadaich
air Balg-buidhe nan tosg...

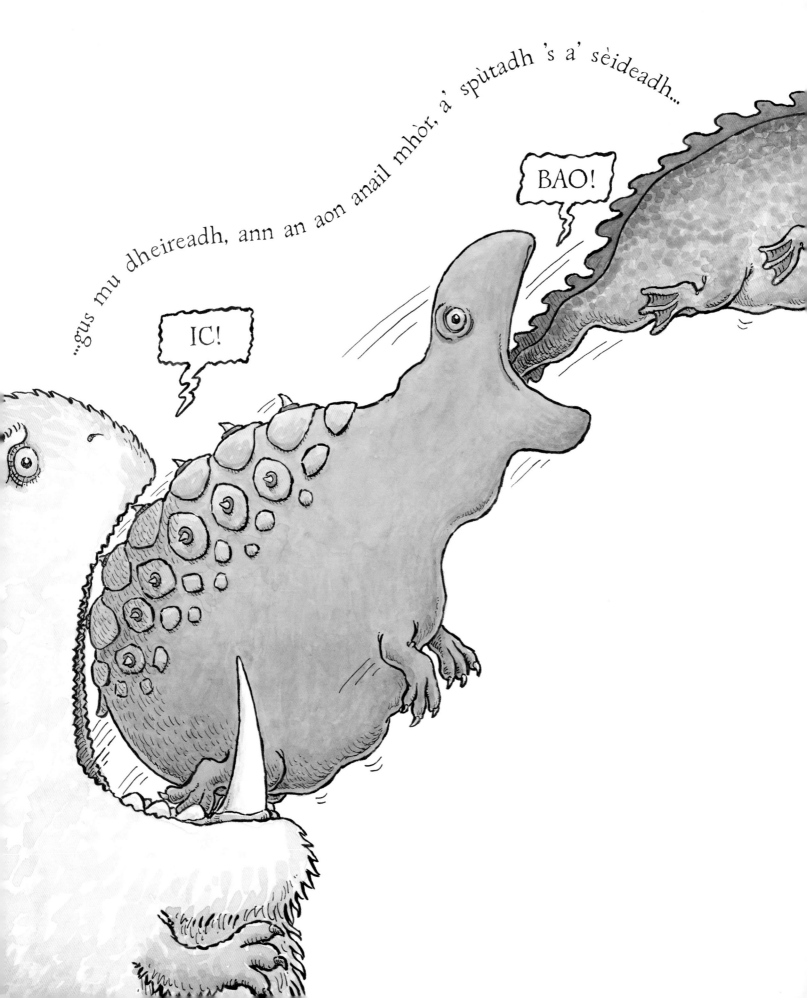

...mach le fruis gun tàinig Louis agus Sarah (agus an Losgann Aileagach).

ACH!

Gu sealladh ort, nach robh càch a-nis air an tolladh leis an acras.

Bha iad ag ilmeachd am beòil 's a' coimhead ri Sarah.

"FÀGAIBH MO PHIUTHAR-SA!" dh'èigh Louis.
"NO ITHIDH MI A H-UILE MAC MÀTHAR AGAIBH!!"

Agus rinn iad às, mar an dealanaich.

"Le na beannachdan," arsa Sarah.
"Tapadh leatsa, Louis. Tiugainn a-nise
dhachaigh."